인쇄로 먹고사는
디자이너 이야기

인쇄 감성

_____드림

Prologue

인쇄로 먹고삽니다

책 속에 17년 인쇄와 함께한 시간을 담아냈다. 이 안에는 디자이너의 시간, 기획자의 시간, 팀장으로 팀원들과 함께한 시간까지 다양한 시간들이 녹아 있다. 짧다면 짧고, 길다면 긴 시간 겪은 나의 이야기를 나누려 한다. 정답이 없는 사회생활이지만 그간 넘어지고 깨지고, 울고 웃으며 배우고 익힌 나만의 이야기들을 말이다.

디자이너만을 위한 이야기로 끝나지 않는다., 일상에 치이고 있는 직장인, 일상에 치일 예비 직장인 그리고 이제 일상의 치임에 적응한 굵직한 경력의 모든 직장인들에게 보내온 시간과 앞으로 보낼 시간을 고민하고 감사할 수 있기를 바라는 마음으로 써 내려갔다.

지금의 나를 사랑하고, 과거의 나에게 감사하며, 미래의 나를 꿈꾸며 웃을 수 있게 되기를 희망하며-

2024년 2월 이소현

Contents

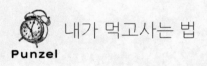

내가 먹고사는 법

이 세상 먹고사는 다양한 방법 중 나는 인쇄로 먹고산다. 사양산업이라는 이야기는 이 일을 시작할 때부터 들었고, 문을 닫는 업체도 눈에 띄게 늘었지만 그 안에서 울고 웃으며 살아가는 사람들이 있다. 나도 그 사람들 틈에 끼여 먹고산다.

인쇄 디자인의 매력은 웹디자인과 다르게 실제로 제품을 만질 수 있다는 점이다. 종이의 생산부터 시작하면 디자인, 인쇄, 다양한 후가공 작업까지 수많은 사람들의 손을 거쳐 만들어진다. 한 공정 한 공정 거치는 손길들이 모여 만들어내는 예술품이다. 나는 이 예술품에 디자인이라는 한 공정을 담당한다.

나는 이 일이 좋다. 손끝에 만져지는 종이의 질감도, 화면 속 디자인이 종이에 구현되어 나오는 인쇄도. 배울수록 어렵지만 시간이 흐를수록 매력은 더해진다. 내가 언제까지 인쇄로 먹고 살 수 있을지 모르지만 그때까지 마음껏 사랑하기로 했다.

처음 일을 시작할 때는 모든 것이 신기했다. 사무실에 쌓여있는 인쇄물도 신기하고 과장님이 디자인하신 작업물도 마냥 신기했다. 아직 명함이나 간단한 수정 작업 정도만 진행하고 있었으니 주변의 모든 것들이 더욱 신기해 보였던 것 같다. 무슨 일이든 해낼 수 있을 것 같은 열정이 가슴속에 끓어오르던 시기다. 그러던 어느 날 드디어 기회가 왔다.

디자인을 배우기 시작했을 때는 모든 게 내 마음대로였다. 수업 시간에 배운 스킬을 가지고 이렇게 저렇게 바꾸면서 내 마음에 들게 만들었던 것이다. 내 마음에 드는 디자인이 최고였다. 그런데 일터에서 하는 디자인은 내 마음에 드는 디자인이 아니라 돈을 주는 클라이언트의 마음에 드는 것이 최고의 디자인이다.

종일 사무실에 앉아 디자인을 조물락거린다. 왼쪽으로 돌렸다가 오른쪽으로 돌렸다가

색을 빨갛게 넣었다가 파랗게 넣었다가, 폰트 사이즈를 키웠다 줄였다 넣었다 뺐다… 디자인에 대한 열정이 끓다 못해 넘치던 나에게 찾아온 기회라 생각했던 일이 20년 조금 넘는 내 인생 가장 커다란 위기가 되었다.

아무리 이리 돌리고 저리 돌리며 만지작거려도 도통 시안이 만들어지지 않았다. 머릿속이 하얘졌다. 비타민 케이스 디자인을 해야 하는데 하얀 모니터 그대로 머릿속에 들어온 것 같았다. 심장이 벌렁거리고 손바닥에 삐질삐질 땀이 배어 나왔다.

'왜 아무 생각이 안 나지?'

'이번 주까지 보내달라고 했는데 어쩌지…'

디자인은 떠오르지 않고 불안만 커져갔다. 시간은 흐르고 결과물은 나오지 않았다. 나는 결단을 내려야 했다.

10년도 더 지난 일이지만 그날의 기억은 엊그제 일처럼 아직도 생생하다. 그 시절 사무실의 가구 배치부터 내가 서 있던 자리 그리고 내 이야기를 듣고 있던 과장님의 얼굴까지도 말이다.

"과장님, 저 디자인… 못하겠어요…"

짧은 한 문장을 입 밖으로 내뱉기 위해 나는 내가 가진 모든 용기를 끌어모았다. 마음 깊은 곳에서 뒤엉켜 아우성치는 자존심, 수치심, 아쉬움, 창피함 등 발목을 잡아끄는 모든 것들을 뒤로하고 현실을 바라보았다.

과장님께 말씀드리고 자리로 돌아와 의자에 앉아서도 한동안 손끝이 떨리고 심장이 쿵쾅거렸다.

지금까지 잊히지 않는 것을 보면 쉽지 않았던 시간이었고 순간이었고 행동이었다. 떠올리면 이불킥을 날리게 되는 몇 안 되는 사건들 중 하나이기도 하고 말이다. 돌이켜보니 이 사건 이후 나는 많이 자란 것 같다. 나의 한계를 인정하는 것이 얼마나 어려운 일인지 알게 되었고 그래서 나의 한계를 넘어서기 위해 노력했다. 이로써 나에게는 빡빡한 일정으로 못하는 일이나 인쇄로 구현되지 못하는 일은 있어도, 디자인하지 못하는 일은 없다. 야근을 하든 주말을 반납하든 어떻게든 마무리했다.

부끄러움에 얼굴은 빨개지고 떨리는 목소리로 이야기하던 그때의 나를 과장님은 어떻게 생각하셨을까? 내가 과장님의 나이가 되어보니 어쩌면 귀엽게 보였을 것 같다. 바들바들 떨면서도 자신의 잘못을 용기 내어 말한다는 것은 쉬운 일이 아니니 말이다. 시간이 없다거나 이해가 안 간다는 눈에 뻔히 보이는 핑계 없이 있는 그대로 이야기했기에 진심이 전달된 것 아닐까.

나는 결심했다.

'과장님처럼 어떤 상황에서도 해내는 디자이너가 되어야지. 아니, 더 멋진 디자이너가 될 꺼야!'

우리 회사가 유명한 곳도 아니고, 이름만 들어도 아는 좋은 학교를 다니지도 않았지만 내가 있는 이곳에서 무언가 할 수 있는 사람이 되고 싶었다. 내가 직접 디자인한 제품을 좋아해 주고, 실제품이 되어 누군가의 손에서 사용된다고 생각하면 가슴이 뛰었다.

나는 그런 사람이 되기 위해 노력하기 시작했다. 그리고 이 마음은 지금도 변하지 않았다.

만약 내가 디자인이 나오지 않는다고 회사를 박차고 나갔다면 어떤 모습이었을까. 이 일과 맞지 않는다며 다른 일을 찾기 위해 학교나 학원으로 돌아갔을 것이다. 그 뒤로 나에게 맞는 일을 잘 찾았을까? 왠지 나는 이리저리 헤매고 다녔을 것 같은 느낌이다. 아니면 다른 디자인 회사로 들어갔을지도 모른다. 케이스 디자인이 맞지 않는다며 교재를 만드는 곳이나 책을 만드는 출판사로 옮겨갔을지도 모른다. 그곳에서는 잘 뿌리내리고 지냈을까? 수 백 페이지가 넘는 출판물 작업이 쉽지 않다는 사실을 뼈저리게 느끼고 후회하고 있지 않을까?

생각만으로도 얼굴이 화끈거리는 이 사건이 기억에 남는 이유가 하나 더 늘었다. 나는 이날 제대로 된 나를 만났던 것이다. 아무것도 모르는 벌거숭이 초짜 디자이너인 내 모습을 마주했다. 하지만 부끄럽다고 도망치지 않았다. 이런 내 모습을 인정하고 도움을 요청했다. 나는 달라지고 싶어졌고 달라지기 위해 노력하기 시작했다.

그렇게 나는 뿌리를 내렸다. 이곳에서 디자이너라는 이름으로.

오늘도 인쇄소로 감리를 간다. 감리는 디자인한 색상이나 내용대로 종이에 인쇄되어 나오는지 확인하는 과정으로 제작 공정의 시작이라 할 수 있다. 디자이너의 머릿속에서 시작해 디지털로 만들어진 이미지가 아날로그로 구현되는 중요한 단계이다. 뒤에서 이야기하겠지만 모니터에 구현되는 색상과 인쇄에서 구현되는 색상의 갭은 상상 이상이다. 영화 '알라딘'에 나오는 램프의 요정 '지니'가 만화영화로 보여질 때의 피부색과 영화로 만들어져 윌 스미스가 연기한 지니의 피부색을 비교한 이미지를 본 적이 있다면 이해가 빠를 것이다. 그 어마어마한 색상 차이를 매번 마주하게 되는 것이 인쇄 디자이너의 현실이다.

그래서 인쇄 감리는 이런 색상의 갭을 줄이는 작업이자 디자이너와 인쇄 기장님의 밀고 당기기가 이루어지는 시간이다. 디자이너는 어디까지 타협할 것이고 어디까지 구현해낼 것인지 기준을 잡고 있어야 원하는 결과물을 얻을 수 있다. 인쇄 기장님의 이야기에만 끌려가면 내 생각과는 다른 인쇄물을 받아보게 될 수 있다. 짧게는 10년, 길게는 30년 이상의 경력을 가진 인쇄소 기장님과의 밀당 기술을 장착하는 것도 디자이너의 덕목이다. 쉽지 않지만 내 디자인을 위해선 갖춰야 한다.

이제는 철컥거리는 인쇄기의 소리도, 코를 찌르는 잉크 냄새에도 익숙해졌다. 인쇄 감리의 밀당은 아직도 쉽지 않지만 사무실에 종일 앉아서 일하는 디자이너에게 허락된 외근이다. 감리는 코에 바람을 넣어주는 기분전환의 기회가 되기도 한다. 커피도 한 잔 마시고, 날이 좋으면 공원도 거닐며 폐 깊숙히 새로운 공기를 넣어준다.

10년이 넘는 시간, 디자이너로 살아가는데 감리는 어려운 시간이지만 숨구멍이 되어주는 시간이기도 했다. 이런 시간이 있었기에 길게 갈 수 있지 않았을까. 들숨엔 날숨이 함께 하듯 조였다 풀었다 나를 숨 쉬게 해준 시간이 돌아보니 참 중요했다. 앞을 향해 정신없이 달리다가도 가끔은 멈춰서 하늘도 보고 꽃도 보며 잠시 쉬었던 시간의 기억이 아직도 남아있는 것을 보면 말이다.

달려야 할 때가있고 쉬어야 할 때가 있다. 내려놓아야 할 때가 있고 어떻게 해서든 해내야 할 때가 있다. 그때가 언제 올지 알 수 없지만 내 앞에 왔을 때 꾸역꾸역 해내는 것. 그것이 오래, 그리고 길게 가는 방법이라는 생각한다.

나는 내가 이렇게 될 줄 알았지

Punzel   - 멋진 커리어우먼

'오늘 회의는 여기까지 하겠습니다. 요청드린 기한까지 수정해서 다시 보고해 주세요.'

컨셉 회의가 끝나고 즐기는 잠깐의 여유. 이어질 클라이언트와의 미팅에 대한 고민은 잠시 접어두고 의자 깊숙이 등을 기댄 채 눈을 감는다. 울리는 전화벨 소리. 클라이언트를 맞이하기 위해 일어선 나는 옷매무새를 정리하고 립스틱을 덧바른다. 깊은 호흡으로 긴장감을 덜어낸 뒤 당당하게 어깨를 활짝 펴고 사무실을 나선다.

나는 지금 나이쯤 되면 이런 모습으로 일하고 있을 줄 알았다. 립스틱을 덧바르며 의지를 불태우고, 자기관리에 철저한. 바쁜지만 업무에 욕심도 있고 야망도 있는 멋진 커리어우먼 말이다. 작지만 집 한 채는 가지고 있을 줄 알았다. 차는 당연히 끌고 다닐 줄 알았다. 핏 좋은 정장에 하이힐이 가득할 줄 알았는데… 지금의 내 모습은 입사 초기와 크게 다를 것이 없다.

인쇄소로 가공 업체로 문제가 생겼다는 연락이 오거나, 감리를 진행해야 하는 일이 생기면 바로 움직여야 하기에 하이힐은 애초에 가까이하지 못했다. 정장도 마찬가지. 종이가루에 잉크가 빨리 마르게 하기 위해 뿌리는 흰 가루까지 더해지면 옷은 희끗희끗 금세 지저분해진다. 정장을 입는 날은 1년 중 손가락에 꼽을 정도. 결혼식장이나 외부 미팅이 있는 날에나 챙겨 입는다.

매일매일 회사는 나갔는데 차도 없고 집도 없다. 립스틱이 아니라 핸드크림 바를 시간도 없는 것이 현실이다. 친구들을 만나면 종종 이런 말이 오간다.
"이 나이쯤 되면 이렇게 살고 있을 줄 알았지"
이 이야기에 절로 맞장구가 쳐진다. 10년이면 강산도 변한다는데 사진 속 10년 전의 우리는 큰 변화가 없다. 노화가 찾아왔을 뿐…

내가 꿈꾸던 미래의 모습과 너무도 다른 지금의 모습에 크게 실망했던 때가 서른 살이 되던 해였다. 20대 열심히 일하고, 배우고 부딪히며 열정적으로 보냈는데 서른이라는 나이가 된 내 모습은 예전과 다르지 않았다. 그래서 서른 살을 제2의 사춘기라 부르는 것 같다. 십 대 시절보다 더 까칠하고 삐딱해졌다. 가시 돋힌 말을 아무렇지 않게 쏟아냈고, 모든 일에 회의적이었다. 어릴 땐 같은 나이대의 친구들과 어울려 수다 떨고 깔깔거리며 스트레스도 풀고 어려운 마음도 나눴지만 서른에 만난 두 번째 사춘기는 온전히 혼자였다.

10대를 함께 보낸 친구들도 10년이라는 시간 동안 달라진 환경에서 지내며 공감대가 예전만 못하다. 그리고 힘들지 않다는 친구도 찾기 어렵다. 나부터도 힘들다는 이야기를 입에 달고 사니, 누구에게 이런 이야기를 툭 터놓고 말하기가 점점 더 어려워진다.

꿈꾸던 서른과는 다른 현실에 우울해하며 아침에 눈 뜨면 꾸역꾸역 회사로 향했던 기억이 난다. 시간이 흐르고 보니 내가 꿈꾸던 서른의 모습은 말 그대로 꿈이었다. 잠자는 동안 깨어있는 것처럼 여기저기를 돌아다니고 듣고 보는 현상을 의미하는 '꿈', 실현될 가능성이 아주 적거나 전혀 없는 헛된 기대나 생각이라는 의미를 가진 '꿈' 말이다. 이런 꿈이었으니 이루어질 리가 있나.

그땐 그냥 일하면 TV 속에 등장하는 멋진 커리어우먼이 될 줄 알았다. 다른 생각은 없었다. 참 많이 모자랐구나 싶다. 책도 좀 읽고, 영어 공부도 좀 하고, 운동도 다니고, 동종 업계 사람들도 많이 알아뒀으면 얼마나 좋았을까. 이런 후회를 하면 무엇 하나 이미 지나간 시간인 것을...

이제는 안다. 지나간 시간은 아쉬워해도 돌아오지 않는다는 것을. 그리고 아쉬워하는 이 순간에도 시간은 흐른다는 것을 말이다. 후회 없는 삶이 어디 있을까. 다들 후회하고 아쉬워하며 살아간다. 다만 후회는 여기까지. 길어지면 안 된다. 과거의 후회를 현재로 가져와 미래까지 함께 해선 안된다.

지금 나의 삶은 예전과 달라졌다. 17년째 같은 회사를 다니고, 같은 사람들을 만나고, 같은 취향의 옷을 입지만 책을 읽고 글을 쓰고 내가 되고 싶은 사람들을 쫓는다. TV 속 커리어우먼이 아니라 내 마음 속 멋진 여자가 되기 위해 노력하고 있다.

모두가 꿈꾸는 화려한 삶의 모습과 다른 현실에 우울해하던 30대 초반. 이때 가장 치열하게 고민했다. 나는 무엇을 하고 싶은 사람인지, 나는 왜 이런 행동을 하는 사람인지, 그래서 나는 어떤 사람인지.

내가 어떤 사람인지 아직 정확히 알 수는 없지만, TV 속 커리어우먼을 꿈꾸는 사람은 아니라는 것은 안다. 남을 돕는 일을 좋아하는 사람이라는 것도 책방을 좋아하고 글쓰기를 동경하는 사람이라는 것도 알고 있다.

'나는 내가 이렇게 될 줄 알았지' 이 문장의 의미가 이루지 못한 일에 대한 후회가 아니라, 이루어낸 일에 대한 칭찬이 되도록 만들고 싶다.

나는 내가 이렇게 될 줄 알았지!

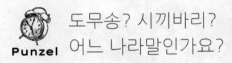 도무송? 시끼바리?
어느 나라말인가요?

나는 의학 드라마를 좋아한다. 시즌제로 방영된 '슬기로운 의사 생활'이나 '낭만닥터 김사부', 미드 '그레이 아나토미'도 즐겨보았는데 생과 사의 갈림길에 놓인 사람을 합심해 살려내는 스토리는 언제 보아도 감동스럽다. 이런 전문적인 직업에 관한 이야기를 다루는 드라마에는 그들만이 사용하는 전문용어들이 심심치 않게 등장한다.

'BP 떨어집니다.'

'산소포화도'가 너무 낮아요'

'**** 20ml 추가해 주세요'

의학전문용어는 드라마 하단에 자막으로 추가한 설명을 읽어도 이해하기 어려울 정도로 생소하다. 의학전문용어뿐만 아니라 법이나 금융, IT 분야의 전문용어들도 마찬가지다. 얼마 전 영상편집을 직업으로 하는 친구가 회사 분과 통화하는 내용을 옆에서 들은 적이 있다. 도통 무슨 말인지 알 수가 없었다. 마스터 파일? 변환을 어떤 파일로 한다고?

인쇄업도 마찬가지로 종사자들만이 알 수 있는 신기한 단어들이 있다. 후두리, 히로, 시끼바리, 도무송, 시야게, 돈보, 구아이… 글자에서 느껴지듯 대부분 일본어에서 변형된 것으로 우리가 편하게 발음하면서 굳어진 단어들이다.

일본어라고 해야 할지 한국어라고 해야 할지… 입에서 입으로 이어진 말이라 맞춤법이 맞는지 확실하지 않다. 일하면서도 단어들과 익숙해지는데 시간이 꽤 걸렸다.
"히로 날 수 있으니까 후두리 쳐서 진행해야 해요"
"돈보가 짤리겠는데?"

"구아이가 짧으면 인쇄 안나올 텐데."

"여분 없으면 도무송 힘들어. 시야게할 때 죽어나"

처음 단어를 들었을 때는 감조차 잡히지 않았다. 아직 인쇄 프로세스도 이해하지 못했는데 여기저기서 툭툭 튀어나오는 국적 없는 용어들은 두통을 유발하기 충분했다.

'히로'는 '시로'라 말하기도 하는데 색으로 채워져야 할 부분이 핀이 맞지 않아 하얗게 종이색으로 나오는 것을 말한다. 〈사진: 히로〉

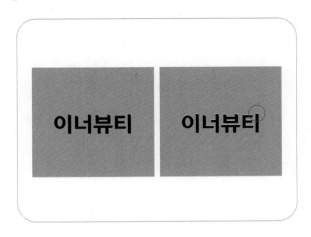

'돈보'는 인쇄부터 금박이나 부분코팅, 제본 등 후가공까지 다양하게 쓰이는 데 위치를 잡아주는 중요한 역할을 한다. 〈사진: 돈보〉

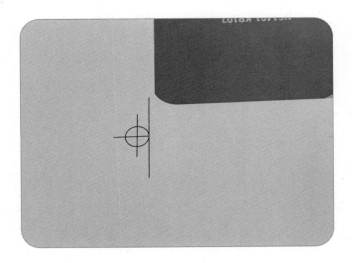

'구아이'는 '구와이'라고 쓰기도 하는데 기계가 종이를 잡아 기계로 끌어당기는 부분으로 인쇄가 되지 않는 영역을 말한다. 구아이를 계산하지 않고 원단을 주문하거나 인쇄를 진행하면 인쇄가 나오지 않아 낭패를 볼 수 있다. 〈사진: 구아이〉

지금이야 머릿속으로 생각하지 않고도 입 밖으로 바로 튀어나오는 단어지만 수첩에 깨알같이 적으며 외우던 기억이 새록새록 떠오른다. 아무것도 모르는 코딱지 시절, 인쇄기장님이며 가공업체 사장님들께 귀찮을 만큼 묻고 이리저리 크고 작은 사고를 내면서 하나씩 배웠다. 돌아보니 정말 감사하다. '아무것도 몰라요'라는 눈빛으로 바쁘게 돌아가는 기계 옆에 붙어서 종알거리는 코딱지가 얼마나 귀찮으셨을까.

누구에게나 이런 시절이 있었을 것이다. 사회초년생. 뭐든 할 수 있을 것 같은 혈기 넘치던 시절. 어리버리 사고뭉치지만 이 시기에 가장 많은 것들을 배워나간다. 그 어느 때보다 강한 집중력을 장착하고 스펀지가 물을 빨아들이듯 업무를 익혀나갔을 것이다. 지금은 툭치기만 해도 아니 실장님이 자리에서 일어나 내 이름을 부르기만 해도 어떤 일인지 알 수 있는 이 무서운 능력은 코딱지 시절의 노력이 있었기에 가능한 것 아닐까?

회사생활이 길어지면 머물러 있다는 느낌, 고여있다는 느낌이 들기 마련이다. 이는 익숙함에서 나오는 것이다. 처음 듣는 단어를 익히고, 온 신경을 집중해 업무를 배우던 시기를 버텨냈기에 주어지는 선물이라 생각해 보면 어떨까? 열심히 해줘서 고맙다고, 버티느라 고생했다고 그 시절의 나를 칭찬한다면 지금의 나 역시 칭찬받아 마땅하다. 과거의 내가 있기에 지금의 내가 있으니 말이다.

과거의 내가 해낸 일로 지금의 내가 있는 것이라면 미래의 나를 위해 지금의 내가 할 수 있는 것을 찾아 실천하는 것이 정답이라 생각한다. 지금의 나는 1초만 흘러도 과거의 내가 될 터이니 말이다.

어느 나라말인지 알 수 없는 생소한 단어들과 익숙하지 않은 업무, 달라진 환경 속에서 나 자신을 믿고 버텨냈다. 아무도 알아주지 않고, 박수 쳐주지 않아도 나 스스로는 알고 있다. 온 힘을 다해 발버둥 치며 자리를 지켰고, 나를 지켰고, 가족을 지켜냈음을 말이다. 이는 나의 이야기이자 당신의 이야기다. 조금 더 '나'를 존중해 주고 다독여주자.

'시간이 있었으면 좋겠다'의 저자 김신지 작가는 책을 통해 이렇게 이야기한다.
"사는 게 다 그렇지 뭐," 라는 말 대신 사는 게 즐거울 수 있는 방법을 찾아야 했다. 아무도 나만큼은 신경 써주지 않는 내 인생을 챙기기 위해서.

나만큼은 내 인생을 챙겨주자.
잘 버텼고, 잘 버틸 것이고, 잘 버텨내고 있다고. 세상 누구보다 대견하고 자랑스럽다고.

Punzel

세상에서 가장 어려운 것
-관계

사회생활은 사람과의 관계가 전부라 해도 과언이 아니다. 업무도 중요하지만 사람과의 관계는 그 이상이다. 일은 힘들어도 버틸 수 있지만 사람과의 관계가 힘들어지면 자리를 떠난다는 말이 그냥 나온 것이 아니다. 마음이 맞지 않는 사람들과 짧게는 9시간, 길게는 12시간 가까이 함께하는 것만으로도 스트레스다. 아침 출근길이 얼마나 힘들지 상상만으로도 숨이 막힌다.

'관계'란 둘 이상의 사람, 사물, 현상 따위가 서로 관련을 맺거나 관련이 있음을 의미한다. 회사는 같은 무리끼리 모여 만들어진 집단이니 관계를 가장 중요한 것으로 꼽는 것이 당연한 것인지도 모르겠다. 윗사람과 아랫사람의 관계, 동료와의 관계, 거래처나 협력업체(하청) 직원과의 관계 등 다양하게 얽힌 관계 속에서 생활한다. 얽히고설킨 관계 속에서 어떻게 균형을 유지해야 할까?

모든 것의 시작은 '나'로부터 시작한다. 내가 어떤 사람인지, 그것부터 알아야 한다. '나'에 대해 알지 못하면 내가 하는 행동도 깨닫지 못한다. 주변의 모든 사람들이 알고 있는데 나만 알지 못하는 상황이 발생하는 것이다.

친구 S는 회사 내 무리에서 빠져나왔다. 무리를 이끄는 우두머리의 눈에 S의 행동이 거슬렸던 모양이다. 은근슬쩍 배척하는 행동에 무리에서 빠져나와 지내는데 오히려 마음이 편하다고 한다. 무리에서 우두머리를 자청하는 사람 외에는 S와 척을 지는 사람이 없다. S는 업무의 마감기한을 잘 지키기로 유명하다. 일명 '선 긋기'의 달인으로 미리 조율된 업무가 아니면 칼같이 순서를 정해 일한다. 이런 행동은 업무를 요청한 사람에게 믿음을 준다. S에게 맡긴 일은 반드시 요청한 날짜에 마무리된다는 신뢰감이 쌓이는 것이다. S를 배척하는 우두머리의 행동에 타격감이 1도 없다는 말에 나는 엄지손가락을 치켜들었다.

무리가 와해되지 않을까 전전긍긍하는 우두머리의 모습과 자신이 해야 할 일을 마무리하고 쿨하게 퇴근하는 S의 모습이 그려진다. 과연 무엇을 위한 무리이고 우두머리란 말인가. 어차피 모두가 '급여'를 받는 노동자인데.

자신의 입지를 강화하기 위해 다른 사람을 깎아내리거나 배척하는 일은 어렵지 않게 찾아볼 수 있다. 이런 행동이 겉으로 보기엔 내 사람을 챙기고, 자신의 인맥을 만드는 것으로 여겨질지 모르지만 곁에 있는 사람들이 속으로도 그를 존경하고 따를까? 분위기와 어쩔 수 없는 상황 속에서 혹은 배척당하고 싶지 않아 조용히 있는 것은 아닐까?

그가 자신을 돌아볼 수 있는 사람이고 자신에 대해 아는 사람이라면 이런 행동을 아무렇지 않게 할 수 없었을 것이라 생각한다. 나는 이 조직에서 힘 있는 사람이고, 대접받아야 하는 사람이라는 생각만 가지고 있다. 역지사지의 마음이나 윗사람으로서 보여야 할 포용력은 찾아볼 수 없다. 이런 사람이 있는 기울어진 조직이 과연 언제까지 유지될 수 있을지 궁금하다.

세상에 완벽은 없다. 그렇기에 관계 속에서 서로의 부족함을 돕고 능력을 나누며 성장하는 것이다. 친구들과의 모임에서 '낀세대'라는 말이 화두가 된지 오래다. 위로는 시키면 해야 하는 기성세대, 아래로는 MZ세대 사이에 끼여있는 중간관리자의 위치가 우리 나이대 사람들이다. '90년대생이 온다'라는 책이 나올 정도이니 그 여파가 적지 않음을 알 수 있다. 적어도 내 친구들만의 고민은 아니라는 것이다. 세대 차이는 늘 있었다. 그런데 MZ라는 이름의 세대가 유독 주목을 받는 이유는 무엇일까?

새로운 세대의 낯선 존재와 함께 살아가야 하는 기성세대의 노력이자 새로운 소비층에 대한 관심이라 말한다. '90년대생이 온다'에서는 90년대생의 특징을 3가지로 정리한다.

'간단하거나, 재미있거나, 정직하거나' 그들은 줄임말을 쓰고, 재미를 중시하며 신뢰와 정확함을 요구한다. 이제는 새로운 세대를 공부해야 하는 시대가 되었다. 이들과의 관계를 잘 만들어가는 것이 기업의 흥망을 결정하고 국가의 발전을 좌우하게 된 것이다.

글을 쓰면서 마음이 무거워졌다. 과연 MZ세대들은 자신들을 연구하고 분석하며 정의 내리는 지금의 현상을 어떻게 받아들일까? 그들이 바라는 것이 MZ세대와 그 외의 세대를 분리하고 다름을 찾아내는 것은 아닐 것이라 생각한다. 나는 각 세대마다 갖는 특징은 다르겠지만 뿌리는 같다고 믿는다. 그들은 자신이 믿고 따를 수 있는 어른을 찾고, 꿈을 꾸고 펼칠 수 있는 환경이 만들어지길 바라고 있을 것이다. 내가 그랬듯이 말이다.

어른이라 부를 수 있는 어른을 만나 믿고 의지하며 삶을 지탱해 나갈 수 있는 힘을 얻고, 내 꿈을 펼칠 수 있는 다양한 기회를 통해 나를 사회에 증명하고 싶을 것이다. 어떤 행동만 하면 MZ라 단정 지으며, 기회는 제공되지 않는다. 주변에는 자신의 이야기가 옳다는 꼰대로 가득하고 내 이야기를 듣고 의견을 나눠줄 어른은 없다. 이런 어른이, 사회가 먼저 만들어져야 한다. 그리고 단단한 사람으로 자랄 수 있는 교육이 뒷받침되어야 한다. 잘파세대가 오고 있다. 잘파세대도 분석하고 나누어 정의하기 시작했다. 이들이 사회생활을 시작하면 또 어떤 바람이 불게 될까? 기술의 발전 속도만큼 세대 간의 차이는 더 벌어질 것이다. 생성형 AI 시대가 도래했지만 인간의 마지막 터치가 없다면 완성이라 말할 수 없듯 세대 간의 차이도 마찬가지로 어른다운 어른의 소프트 터치가 필요한 때이다.

관계를 위해서는 서로에 대한 관심이 필요하다. 관심이 없다면 관계는 이어지지 않는다. 기성세대의 포용력과 새로운 세대의 믿음이 필요하다. 그리고 타인으로 향하는 시선을 나에게로 돌려야 할 때이기도 하다. 타인으로 향한 시선은 나를 채우기보다 깎아냄이 빠르다. SNS가 그 예를 보여준다.

하루의 절반을 보내는 회사에서의 업무 시간이 모두의 성장이 함께하는 시간이 되기를 바란다. 다르다며 선을 긋는 행동으로는 함께 성장할 수 없다.

관계는 같은 곳을 향해 나아갈 때 시너지가 커지는 법이니까.

리더는 너무 어려워

Punzel

회사는 직급을 부여한다. 직급에는 그에 맞는 업무와 급여가 정해져있고, 회사원들은 높은 직급으로 올라가기 위해 노력한다. '빨리 대리 달아서 급여 올라가면 좋겠다.', '이번에는 꼭 부장 달아야 하는데.' 입사 동기가 먼저 직급이 올라가거나, 후배 녀석이 먼저 자리를 차지하는 일이 생기지 않도록 열심을 다한다.

사실 작은 회사에서는 직급에 큰 의미가 없다. 팀 인원은 많아야 4-5명이고 한 명이 팀 전체의 업무를 하는 경우가 다반사다. 나 역시 과장님 밑에서 일하는 단 한 명의 팀원으로 회사일을 시작했다. 일을 시작한 지 얼마 되지 않아 과장님이 퇴사하시고 다른 분이 오셨는데 몇 년을 함께 일하며 많이 배웠다. 지금도 연락을 하며 지내고, 프리랜서로 일하고 계셔서 급한 일이 있을 때는 과장님 손을 빌리기도 한다.

과장님은 회사에 재입사한 경우다. 디자이너를 4-5명씩 거느리며 철야근무도 했었다고 한다. 결혼과 함께 회사를 그만두고 다른 곳에서 일하다가 사장님의 요청으로 다시 입사하셨다. 과장님은 예쁜 외모와 다르게 업무와 관련된 부분에서는 카리스마가 넘쳤다. 소심한 나와 달리 불가능한 일은 딱 잘라 거절했다. '나도 과장님 같은 디자이너가 되고 싶다'라는 생각을 하며 임신 소식과 함께 회사를 떠나실 때까지 코딱지 시절 뒤를 졸졸 쫓아다녔다.

어느덧 내가 '과장'이 되어 누군가를 이끌어야 하는 자리에 앉게 되었다. 첫 직원이 생기던 날, 한껏 신경 써서 옷을 입고 출근했던 기억이 난다. 두근거리는 마음으로 첫 업무를 요청하며 떨리던 마음을 감췄던 기억도 말이다. 리더가 되는 일에 이런 아름다운 기억만 있으면 얼마나 좋을까. 직원이 하나 둘 늘어나면서 두근거리던 마음은 걱정으로 가득 찼고, 업무를 요청하는 떨리는 마음은 불안으로 바뀌었다. '잘못하면 어쩌지?', '내가 하면 금방 끝날 일인데 그냥 내가 할까?', '내가 또 확인해 줘야 하는데 빨리 작업해 오라고 하면

부담스러워하겠지?'하는 걱정과 불안이 일상이 되었다.

사람이 늘어난 만큼 일도 늘고, 일이 늘어난 만큼 사고도 늘었다. 내가 처리할 땐 생각지도 못한 사고들이 여기저기서 터져 나와 수습만으로도 하루가 모자랐다. 이런 상황이다 보니 내 일은 뒷전으로 밀려 야근에 주말 근무로 이어졌다. 4명의 디자이너와 함께한 5년 가까운 시간은 내 회사 생활에서 가장 힘들고 어려웠던 시간이었다.

어떻게 하면 리더로서 제대로 일할 수 있을까? 한바탕 일이 휩쓸고 지나간 늦은 저녁, 팀원들은 이미 퇴근한 조용한 사무실에 혼자 앉아 늘 하던 생각이다. 책도 찾아보고, 조언도 참고하며 나름 노력한다고 발버둥 쳤는데 시원하게 해결되지 않았다.

남들이 말하는 리더로서의 자질이나 노력이 모두 나에게 맞는 것은 아니었다. 하나의 프로젝트를 모두가 함께하는 구조가 아니라 각각의 거래처에서 들어오는 발주건을 처리하는 일이다 보니 나만의 리더십이 필요했다.

리더란 조직에서 비전을 제시하고, 목표를 달성하기 위해 구성원들을 이끄는 사람을 말한다. 단순한 명령을 넘어서 팀원들의 성장을 지원하고, 동기를 부여하며 긍정적 변화를 만들어가는 과정이다. 좋은 리더는 소통 능력, 공감 능력, 결정력, 책임감, 유연한 사고 등 다양한 자질을 갖춰야 한다고 말한다.

이 모든 것을 다 갖춘 사람이 있을 수 있을까? 나는 공감 능력과 책임감의 자질은 가졌지만 소통 능력이나 결정력은 낮다. 그 당시에는 왜 모든 것을 다 갖추려 했던 것일까? 당연히 그래야 한다 생각했고, 갖추지 못한 내가 문제가 있다 느꼈다. 그리고 나의 이런 노력을 몰라주는 팀원과 임원들에게 섭섭한 마음만 차올랐다. 이때는 정말 사직서를 써서 서랍에 넣어두고 다니던 시기다.

리더의 자리도 시간이 지나니 조금씩 적응이 되었다. 물론 야근과 불안감은 여전했지만 업무 분배가 어느 정도 자리 잡고 팀원들도 나에게 조금씩 적응해 나가기 시작한 것이다. 리더의 자리에 있으면서 힘든 기억이 훨씬 많지만 팀원들의 수고했다는 한 마디, 리더의 자리가 쉬운 게 아니라는 상사의 한 마디가 큰 위로가 되었다. 리더의 자리에서 힘겨운 하루하루를 보내고 있는 이들에게 힘내라고, 잘 하고 있다고 말해주고 싶다. 진심으로-

과연 내가 생각한 리더는 무엇이었을까? 무엇이었기에 그리도 힘들고 어려운 시간을 보낸 것일까?

내가 생각한 리더는 완벽한 사람이었다. 주어진 업무도 잘하고, 직원들의 문제도 척척 해결해 주고, 디자인도 잘 뽑고, 거래처는 물론 인쇄소와 조율도 잘하고… 그런데 그런 사람은 없다. 혼자서 다 할 수 없다. 그렇기에 팀을 꾸려 함께 하는 것이다. 나는 팀원 모두를 끌어안는 보자기가 아니라 손을 잡고 같이 일할 수 있도록 끌어주는 리더가 되었어야 했다. 과거의 나는 보자기 같은 팀장이 되려 발버둥 쳤던 것이다.

여러 책이나 블로그 등에서 리더가 갖춰야 할 많은 능력 중 비전 제시, 소통, 적용성과 유연성을 가장 중요한 능력으로 꼽았다. 우리 팀은 어떤 방향으로 나가야 할지를 제시하고 팀원들과 대화하고, 변화하는 상황에 빠르게 대처할 수 있도록 효과적인 결정을 내릴 수 있어야 한다.

그 시절 나는 나에게 자신이 없었다. 내가 하는 행동이 맞는 행동인지 확인받을 곳도 피드백을 받을 곳도 없었다. 나 스스로에게 자신이 없으니 무언가를 결정하는 일이 세상 무엇보다 힘들었고 팀원들과의 대화는 불편했으며 어떤 방향으로 나가야 할지 나부터 헤매고 있었다.

결국 '나'였다. 리더가 되는 일에 겁부터 먹었던 내가 문제였다. 사람과 사람이 하는 일에 대화로 처리하지 못할 일은 없다. 서로의 마음을 터놓고 이야기하면 해결하지 못할 일은 없는 것이다. 그런데 내가 마음을 닫고 있었으니 팀원들은 벽에 대고 이야기하는 기분이었을 것이다. 미숙한 팀장 밑에서 일하느라 고생 많았던 팀원들에게 미안해진다.

리더란 팀원의 이야기를 들어줄 준비가 되어있는 사람이다. 상대의 이야기를 들어줄 준비가 되어있다는 것은 스스로 리더라는 의식을 가지고 있다는 것이다. 그리고 자신의 이야기 역시 들을 수 있는 사람을 의미한다. 내 마음속 이야기를 듣지 못하는 사람은 다른 이의 말을 들어주기 어렵다. 공감은 할 수 있지만 이야기를 듣고 질문을 하거나 피드백을 하기 어려운 것이다. '팀장님, ㅇㅇ업체에서 디자인 요청이 왔는데 어떻게 해야 할지 좀 난감해요.'라며 어려움을 토로하는 팀원이 있다고 가정하자. '많이 힘들겠구나.'라며 공감은 할 수 있다. 하지만 준비가 되어있지 않은 팀장에게선 '서치를 좀 더 해봐.' 라던지 '그 업체가 원래 그렇잖아'라는 답변으로 끝나버릴 것이다. 하지만 이런 피드백은 팀원도 이미 알고 있는 부분이다. 모르고 팀장에게 물어본 게 아니라는 것이다. 질문은 곧 존중이라는 문구를 책에서 읽었다. 팀원을 존중한다면 조금 더 세세하게 질문하며 문제를 찾아내야 한다. '어떤 부분이 이해가 가지 않니?', '서치는 어디까지 해봤어?', '내가 서치해 본 게 있는데 한번 볼래?' 등 티키타카가 이뤄질 수 있는 질문을 주고 받아야 한다. 이것이 소통의 시작이고 서로 간의 신뢰를 쌓는 기초가 된다고 생각한다.

신뢰가 쌓이면 소통도 편안해지고 변화에도 빠르게 대처할 수 있게 된다. 팀원과의 믿음이 있기 때문이다. 뭘 시켜도 걱정되고 불안했던 마음은 믿음이 바탕이 되지 않았던 이유이다. 마음의 문을 조금 더 열고 팀원들과 함께했다면 건강을 잃어가며 늦게까지 일하던 시간이 줄어들 수 있지 않았을까.

우리는 나에 대해 공부하는 방법을 배우지 못했다. 내가 어떤 사람인지 무엇을 좋아하고 무엇을 싫어하는지 잘 모른다. 그리고 칭찬에 목마르다. 잘한 일보다 못한 일에 포커스를 맞추고 살아간다. 리더 시절의 나는 내가 어떤 사람인지 몰랐다. 내 몸을 열심히 움직이면 될 거라 생각했고, 그러면 알아줄 거라 생각했다. 보여주는 것도 중요하지만 고맙다는 말 한마디, 수고했다는 말 한마디가 더 마음을 울린다는 것을 알게 되었다.

리더는 힘들다. 하지만 팀원에게 먼저 고맙다는 한마디를 전하는 건 어떨까? 세상에 나쁜 리더도 있지만 참된 리더가 되기 위해 고군분투하는 리더들도 있다는 것을 알려주고 싶다. 그리고 리더의 마음을 한 번 헤아려주는 것은 어떨지 조심스레 건네본다. 팀원이지만 당신도 언젠가는 리더의 자리에 오를 것이니…

아무리 생각해도 리더는 너무 어렵다.

얻은 것과 잃은 것

Punzel

20년 가까운 회사 생활. 나에게 무엇이 남았는지 궁금해졌다. 얻은 것은 무엇일까? 그렇다면 잃은 것은 무엇일까?

가장 먼저 떠오른 것은 바로 '돈'이다. 매달 노동의 대가로 일정 금액을 '급여'라는 이름으로 받는다. 이 돈은 한 달을 살아가는 밑거름이 되며 안정감을 가져다주었다. 이 안정감이 독이 된다고 말하는 이들도 있지만 나는 이 안정감의 힘으로 성장할 수 있었다고 생각한다. 안정감에서 벗어나 더 크고 넓은 곳에서 많은 돈을 벌 수도 있었을 것이다. 하지만 내 선택에 후회는 없다. 많지 않아도 매달 들어오는 급여는 배우고 싶은 것들을 배울 수 있게 해주고, 보고 싶었던 것을 볼 수 있게 해주는 수단이자 시간을 녹인 노동의 보상이었다.

회사를 다니다 보면 생각지 못한 일들과 자주 만나게 된다. 상사의 이해할 수 없는 행동에 화가 나기도 하고, 전날 했던 말 한마디에 대뜸 퇴사를 하겠다고 휘갈겨 쓴 사직서를 올리는 직원의 행동에 당황하기도 한다. 이럴 때마다 그만두고 싶다는 말을 입에 담지만 나는 아직도 이곳에 남아있다.

한 달을 버티는 자에게 주어지는 '급여'를 나는 이번 달도 잘 버텨낸 나에게 주는 선물이라고 생각한다. 한 달을 똑같이 보냈지만 누군가는 '쥐꼬리만한 월급'이라며 자신의 직업과 회사를 깎아내리고, 누군가는 '나에게 주는 선물'로 포장해 고생한 나를 다독인다면 급여는 독약이 아니라 '보약' 아닐까?

'돈'을 얻은 대신 '시간'을 잃었다고 생각했다. 하지만 시간을 내주었기에 돈을 얻었다. 그러니 시간을 잃었다 말하기는 어려운 것 같다. 직장을 다니는 혹은 다닌 사람들 중 많은 이들이 '건강'을 잃었다 말할 것이다. 나 역시 예외는 아니다. 아침 9시에 출근해 밤 10시가 넘어서까지 일하고 주말 역시 쉬지 못하는 시기가 있었다. 3년 가까이 이어진 야근에 살이 5kg 이상 빠지고 기력이 떨어졌다. 입맛이 돌지 않으니 살은 빠지고, 살이 빠지니 기력이 떨어지는 악순환이 이어진 것이다. 이런 몸이 예전의 나로 돌아오게 된 것은 야근이 사라지고 난 후부터다. 6시가 되면 자리에서 일어났다. 저녁이 있는 삶을 찾고 나니 아침이 달라졌다. 놓고 있었던 취미생활도 다시 시작했다. 몸을 움직이며 좋아하는 것을 하니 체력도 조금씩 붙기 시작했다.

넘치는 업무와 과도한 책임감은 건강을 잃는 지름길로 인도한다. 회사 업무에서 책임감은 빼놓을 수 없는 덕목 중 하나다. 주변에 책임감이 없는 사람이 있다면 그것이 상사이든 직원이든 매우 피곤해지는 상황에 놓이게 된다. 내 업무에 다른 사람 뒷수습까지 플러스되어 피폐한 하루하루를 보내게 되는 것이다. 방법은 적당한 선 긋기다. '이건 네 일이니 알아서 해'가 아니라 내가 맡고 있는 일이 먼저라는 것이다. 내가 맡고 있는 일만 해도 목에 차는 상황인데 책임감 없는 누군가의 일에 골치 아파하지 말아야 한다. 부서장의 위치라면 조금 달라질 수 있겠지만 자신이 맡은 일을 책임감 있게 해내지 못한다면 함께할 수 없는 것이다. 그러고 보니 '건강'은 잃었지만 '적절한 책임감'이라는 것은 얻은 것 같다.

마음이 맞는 사람들과 함께한다면 회사 생활도 즐겁다. 나는 두 번째로 회사에서 '사람'을 얻었다. 함께 일하는 직원 외에도, 오래된 하청 업체 직원과 마음 맞는 클라이언트들은 회사 생활의 작은 즐거움이다. 시시콜콜한 이야기로 빡빡한 일과 속에 웃기도 하고, 가끔 저녁 식사를 하며 힘든 회사 생활의 넋두리를 나누기도 한다.

'사람'을 얻었다는 것은 나의 사회생활이 나쁘지 않았다는 것을 보여주는 지표라 생각된다. 업무로서의 성장만이 아닌 관계로서의 성장도 이룬 것이라고 말이다.

'사람'을 얻을 수 있었던 것은 유창한 언변보다 '업무 능력'이 뒷받침되었기에 가능했다

믿는다. 말로 얻은 사람은 오래가지 못한다. 하지만 '이 사람에게 부탁하면 이 정도 퀄리티는 나오지'하는 믿음이 있다면, 그리고 여기에 공감 능력을 살짝 추가한다면 관계는 오래 지속될 수 있다. '언제까지 보내드릴게요'라고 말하고 기한을 지키지 않는다거나, 기한에 맞췄으나 요청한 것과는 다른 디자인을 전달했다면, 사람과의 관계에 가장 중요한 '믿음'이 생겨나지 않는다. 관계는 믿음에서 출발한다. 그리고 지속하기 위해서는 '공감'이 필요하다. 상대의 상황을 이해해 주는 마음. 빠듯한 일정으로 업무를 요청할 때, 짜증을 내기 전에 무슨 일이 있는지 상대에게 묻고 상황을 이해해 준다면 어떨까? 아마 고마운 마음에 다음번 업무는 여유를 두고 요청하거나, 나의 부탁에도 똑같이 상황을 물으며 이해해 주려 노력할 것이다.

고급 레스토랑에서 고기의 굽기 외에도 다양한 취향을 묻듯, 질문은 상대에게 존중받고 중요하게 여겨진다는 느낌을 받게 만든다. 목소리가 좋지 않거나 업무를 급하게 요청한다면 안 좋은 일이 있는 것인지, 평소보다 밝은 목소리라면 좋은 일이 있는 것인지 먼저 알아채고 묻는 것이다. 이런 작은 관심으로 시작된 질문이 관계를 끈끈하게 해주고 내 곁에 있는 사람이 되도록 만들어 준다.

지금은 메신저를 통한 대화가 전화보다 익숙하지만 처음 회사 생활을 시작했을 땐 전화 통화가 주를 이루었다. 스몰토크로 날씨나 건강 안부 등을 물으며 긴장을 풀고, 회사나 업무 이야기로 넓혀나간다. 이렇게 이야기가 오가면 업무 파악에도 도움이 되고 요청받은 작업의 팁을 얻는 경우도 종종 생긴다. 그리고 담당자가 이직 후에 다시 연락을 주어 업체가 늘어나는 일도 빈번히 발생한다. 이것이 '돈' 다음으로 얻은 자산이라 생각한다. 어쩌면 훗날 '돈'보다 더 큰 자산일지도 모른다.

10년 넘는 회사 생활을 통해 내가 하고 있는 업무의 능력치가 오르지 않을 수 있을까?

회사에서 얻은 세 번째, 업무능력이다. 능력치를 올리고 싶지 않은 사람은 없을 것이다. 업무능력을 향상시켜 급여를 올리든, 직급을 올리든 아니면 개인 시간을 늘리든, 지금보다 많은 보상을 얻고 싶을 것이다.

업무능력에는 여러 가지가 포함되어 있다. 실무에 관한 이해와 지식, 속도, 정확도 등을 먼저 꼽아볼 수 있다. 그리고 협업하는 사람들과의 관계와 상대를 대하는 태도 등도 업무능력에 포함된다고 생각한다. '일 잘하네~'라는 말속에는 주어진 업무를 정확히 이해하고 빠르게 처리했다는 의미와 함께 일하는 사람들 사이의 평판도 함께 녹아있다. 얌체처럼 자기가 해야 할 부분만 쏙 빼서 끝내고 나 몰라라 하는 사람에게 일을 잘한다는 말이 나올까? '일은 잘하는데…'라며 뒷말을 아낄 것이다.

그렇다면 업무능력을 높이려면 어떻게 해야 할까? 첫 번째는 태도, 다음이 업무에 대한 이해, 지식, 정확도 등으로 이어진다. 지금 세대에게는 꼰대처럼 들리겠지만 사회는 다양한 세대가 모여 살아간다. 세대갈등은 어느 시대에나 존재하고 이런 갈등을 통해 발전해 나간다. 태도는 세대를 넘어서는 평가 기준이라 생각한다. 맡은 업무를 대하는 태도를 보면 일에 대한 열정과 함께 그 사람의 됨됨이도 함께 보인다.

A와 B에게 같은 보고서 작성 업무를 지시했다고 가정하자. 동일한 시간과 업무 환경이 주어진다. A는 다른 업무를 하면서 짬짬이 작성해야 할 보고서에 대한 자료를 찾는다. 슬쩍 선배에게 묻기도 하고 동기들에게 도움을 요청하기도 한다. B는 일단 뒤로 미뤄둔다. 아이디어를 고민하고, 글과 이미지로 풀어내야 하는 보고서는 오랜 시간이 걸리니 우선순위에서 밀리는 것이다. 아무도 신경 쓰지 않는 것 같지만 지켜보고 있다. 일정이 목에 차올랐을 때 B는 보고서를 작성하기 시작한다. 아이디어가 이미 머릿속에 짜여있다면 술술 풀릴 테고, 정리되지 않았다면 시간에 쫓겨 불안해진 마음에 진도가 나가지 않을 것이다.

어떤 직원과 함께 일하고 싶은가?

A는 주변 사람들의 의견을 들었다. 자신의 부족함을 받아들이고 조언을 듣고, 질문하며 고민했다. A가 보여준 일에 대한 태도가 나는 마음에 든다. 회사는 함께 일하는 곳이다. 물론 개인의 역량도 중요하지만 협업이 베이스로 깔린 회사 생활에서 함께 어울리며 정보와 지식을 나누는 것 역시 중요하다. 직급이 올라갈수록 개인의 역량 플러스 조직을 이끄는 능력, 즉 사람들과 함께하는 능력을 필요로 하기 때문이다. 즉, 업무능력은 개인 업무의 스킬이나 전문성과 함께 동료들과의 의사소통 그리고 믿음을 주는 태도라 정의해 본다.

20년 가까운 회사 생활.

나는 '돈'과 '사람'을 얻었다. 그리고 내가 하는 일에 대한 '전문성'을 갖추었다. 물론 '건강'을 잃었었고, 피폐해진 몸 상태로 무기력해진 시기를 오래 겪기도 했다. 그러나 나는 버텨냈다. 많은 돈을 번 것도 아니고, 힘 있는 사람들과 연을 맺은 것도 아니다. 이름만 들어도 아는 기업과 일을 하지도 못했다. 하지만 글을 쓰며 알게 되었다. 내가 얻은 것은 '돈'이나 '사람'보다 버텨낸 '나' 자신이었다.

싫지만 버텼고, 어렵지만 버텼다. 나는 버텨내는 사람, 해낼 수 있는 사람이다. 적어도 나 자신에게는 당당하게 버텨낸 사람이라 말할 수 있다. 모두에게 버텨내라 말할 수는 없다. 이게 답이라는 말은 더더욱 말할 수 없다. 하지만 이 말은 당당하게 할 수 있다. 무엇이든 버텨낸다면 무엇이든 할 수 있는 사람이 될 수 있다고.

내 취미는 소셜댄스다. 많은 소셜댄스 중 살사댄스를 즐기고 있다. 혼자서 추는 춤이 아니기에 어렵지만 어려운만큼 재미있다. 춤을 잘 추는 방법이 무엇인지 물으면 이런저런 조언 끝에 결국 '끝까지 버텨내는 것'이라 말한다. 아무리 날고 기는 사람도 중간에 그만두면 아무것도 아닌 것이다. 남아있는 사람이 승자다.

빠르게 바뀌는 사회, 변화에 대응하기도 벅차지만 마지막에 웃는 사람은 내가 하는 일을 묵묵히 해내며 나만의 스킬을 쌓고, 이를 변화에 맞춰 세상에 보여줄 수 있는 사람이다. 나는 버텨낸 사람이다. 이제 세상에 보여줄 시간이다. 그 시작으로 나는 글을 쓴다. 버텨낸 사람이 쓴 버텨낸 글. 글 역시 엉덩이 힘으로 버텨내본다. 머릿속에서 쏟아지는 이야기를 자르고 붙이며 이어간다.

삶은 버텨내기다. 내가 선택할 수 없는 것들에 휘둘려 쓰러지지 않고 깊이깊이 뿌리내려 단단해지는 것이다. 나이테가 생기듯 아픈 상처를 품고 버텨내는 것. 그렇게 잘 버텨내면 훗날 누군가에게 그늘을 선물하고 열매를 선물하고 예쁜 책장을 나눌 수 있는 나눔의 삶으로 완성될 수 있다. 이것이 내가 꿈꾸는 삶이다.

잃은 것보다 얻은 것을 떠올리며 모두가 자신을 칭찬하는 사람이 되기를 바라본다.

'아무도 나 만큼은 신경 써주지 않는 내 인생을 챙기기 위해서'

Punzel 코칭으로 시작한 나와의 대화

어릴 때의 나는 뭐든 할 수 있다고 생각했다. 이 작은 회사가 아니라 더 큰 곳에서 내 능력을 펼칠 것이라는 자신감도 있었고 욕심도 있었다. 겉으로는 주변 사람들의 조언을 듣는 듯 보였겠지만 나는 남의 말을 잘 듣지 않았다. 내가 최고라는 근거 없는 자신감으로 꽉 차있었다. 모든 사람들에게 인정받아야 했고, 모두가 나를 좋아하고 바라봐 줘야 했다.

돌아보면 그 시절 나는 참 못났다. 하지만 혈기왕성한 20대 이런 배짱도 없었다면 지금의 자리에 있을 수 있었을까? 근거 없는 자신감이라도 있었으니 인쇄소 문을 벌컥벌컥 열고 들어가 큰아버지 뻘의 기장님께 묻고 떼쓰며 배울 수 있었다고 생각한다. 수 백, 수 천만원의 인쇄물을 겁 없이 진행시키고, 내가 잘못한 일에는 핑계 없이 실수를 인정했다. 못났다 말했지만 지금보다 당당하고 열정이 넘쳤던 시절이다.

이런 자신감과 열정도 꾸역꾸역 밀려드는 업무와 관리자로서의 책임감 그리고 스스로에 대한 불신으로 무너져갔다. 일과를 정리할 여유 아니 잠시 숨을 고를 여유조차 없었던 하루하루가 쌓이는 동안 내 안에도 피곤과 무기력 그리고 나에 대한 불만이 쌓여나갔다.
벗어나고 싶은 현실과 벗어날 수 없는 상황이 부딪히며 나는 그 사이에서 조금씩 갈려나가고 있었다. 두 개의 톱니바퀴 사이에 낀 나뭇조각처럼 천천히 으스러져갔다. 눈동자는 빛을 잃었고, 얼굴엔 생기를 찾아보기 어려웠다. 딱히 즐거운 일도 슬픈 일도 없었다. 그렇게 표정도 사라져갔다.

'코칭'이라는 것을 알게 된 것이 바로 이때였다. 외국 저자가 쓴 자기계발서를 읽다 보면 종종 '코칭'이나 '멘토'라는 단어가 등장한다. 내 주변에도 나를 코칭 해주고 이끌어줄 사람이 있었으면 좋겠다는 생각만 막연하게 했었는데 나에게도 이런 사람이 생긴 것이다.

동생의 지인이 '코칭'을 공부하고 계시는 중이라 실습 겸 무료로 코칭을 받을 수 있게 되었다. 일단 하겠다고 손은 들었는데 사실 무엇을 질문해야 할지 무엇 때문에 내가 힘든지 알지 못했다. 처음 줌으로 만나 어떤 이야기를 나누고 싶냐는 질문에 나는 잘 모르겠다고 답했다. 얼마나 당황스러우셨을까.

"제가 어떤 사람인지 알고 싶어요."

결국 내 속마음이 이렇게 튀어나왔다. 왜 하기 싫은 일을 하면서 말라가고 있는지, 왜 코밑까지 차오른 물 밖으로 빠져나오지 못하는지 나 스스로 내가 궁금했다.

코치님은 서두르지 않고 하나씩 질문을 던지며 나의 답을 기다려주셨다. 다양한 질문지들을 작성하며 나에 대해 알아가는 시간으로 시작한 코칭은 회를 거듭하면서 나에 대한 윤곽이 조금씩 잡혀갔다. 내가 나를 바라보며 질문지를 작성하기도 하고 주변 사람에게 질문하기도 하고, 나는 어떤 삶을 살기를 원하는지 서로 이야기하기도 했다.

어느덧 코치님의 질문으로 채워지던 시간이 나 스스로 질문하고 답하는 시간으로 채워지기 시작했다. 내 이야기를 집중해서 듣고 그 안에서 또 다른 질문을 끌어내는 코치님의 리드는 사라져가던 자신감과 나에 대한 이해 그리고 믿음을 키워내는데 큰 도움이 되었다. 2021년 5월에 시작해 매주 1시간씩 진행한 10번의 코칭이 끝났다. 10주간 이어진 10시간의 코칭은 삶에 변화를 가져왔다. 내가 느낀 변화를 정리해 보면 다음과 같다.

첫째, 나에게 질문하기 시작했다.

처음 코칭을 시작할 때 나는 말이 없었다. '나에 대해 알고 싶어요'라는 질문에 답은 내가 가지고 있다는 것을 알고 있지만 머릿속이 묶여있는 실타래처럼 꼬여 무슨 말을 해야 할지 막막했다. 잘 모르겠다는 대답에도, 한참이 걸리는 답변에도 코치님은 다그치거나 먼저 나서지 않았다. 고민해 보고 다음 시간에 이야기해 보자 하거나 다른 질문을 통해 실마리를 찾아갈 수 있게 도와주었다.

어른이 되고 누군가 나의 이야기를 주의 깊게 들어준 적이 몇 번이나 있었을까? 친구들도 각자 자신의 이야기를 하기 바쁘고, 회사에서는 기대조차 하지 않는다. 나 자신과 대화를 해야 한다고 말하는데 그게 대체 무슨 말인지 이해할 수 없었다. 책이나 영상에서 수차례 들었던 말인데 '대체 어떻게 하라는 걸까?'라는 물음표를 찍으며 다시 원점으로 돌아오길 반복했다.

코칭을 통해 알게 된 가장 큰 것을 자신과의 대화라고 말할 수 있다. 완벽하진 않지만 맛보기를 했다고 할까? 어느 순간 내가 질문하고 스스로 답을 말하고 있었다.

'저는 왜 회사를 다니기 싫어하면서 꾸역꾸역 회사에 나가는 걸까요? 그만두지도 못하고 그렇다고 열심히 다니지도 못하는 지금의 제가 너무 싫어요. 그런데 생각해 보면 하고 있는 일을 버리고 싶지는 않아요. 이 일은 늘 새롭고 재미있어요. 회사가 싫은 것이지 일이 싫은 건 아닌 것 같아요.

그런데 왜 회사를 그만두지 못할까요? 아마도 금전적인 문제 때문인 것 같아요. 안정적인 수입이 끊긴단 생각에 불안해지는데 일은 좋으니 회사를 꾸역꾸역 나가는 것 같아요.'

'그냥 일하기 싫어', '짜증 나'라는 생각에 멈춰있었다면 스스로를 계속 망가뜨리며 매일을 살아갔을 것이다. 이러지도 못하고 저러지도 못하면서 아까운 시간만 보내며 말이다. 하지만 코칭을 통해 '나는 왜?'라는 생각을 하고 입 밖으로 꺼내며 머릿속으로 정리했다.

이것이 '나 자신과의 대화'의 시작이었고 나를 인정하는 첫걸음이었다.

두 번째는 내가 한 행동의 이유를 고민하고 스스로 답을 내리며 인정하기 시작했다는 것이다.

나는 일을 좋아하지만 안정적인 수입 즉 '돈' 역시 중요하게 생각한다는 것을 인정했다. 일을 하면서 내가 짜증이 나고 하기 싫었던 이유는 보상이 충족되지 않아서라는 사실을 인정한 것이다. 인정하고 나니 마음이 편해진다. 그리고 다음 선택을 할 수 있게 되었다.

보상이 충족되는 곳으로 일터를 옮길 것인지 말 것인지에 대한 선택이다. 나는 지금 일터에 남기로 결정했다. 코로나로 축소된 조직과 업무를 이어가며 내 시간을 사용하기로 한 것이다. 바로 두 번째 삶, 다음 직업에 대한 공부를 시작하기로 했다. 나 자신과 함께 내린 결론이자 선택이다. 앞으로 어떤 일이 벌어질지 모르지만 나를 믿어보기로 했다. 세상에 믿을 건 나 밖에 없으니.

셋째, 스스로에게 화내기보다 칭찬해 주기 시작했다.

회사에 앉아 스스로에게 화내고 짜증 내는 모습은 전염이 빠르다. 나도 모르게 다른 사람에게도 화를 내고 짜증을 내고 있는 것이다. 그 화와 짜증을 받은 상대의 기분 역시 금세 나빠진다. 가시 돋친 선인장처럼 아무도 다가오지 못하게 암울한 기운을 뿜어내며 종일 앉아있으니 나도 상대방도 불편한 일이다.

코칭으로 나와 이야기를 하기 시작하면서 억지로라도 칭찬을 했다. 짜증이 올라오면 '왜 짜증이 나는 걸까?'하고 스스로에게 묻는다. 일을 너무 급하게 준다는 둥, 아까 수정해서 보냈는데 또 보냈다는 둥 사실 특별한 이유는 없다. 오늘 짜증 난다는 말을 몇 번 했는지를 적어보기도 하고 세어보기도 했다. 하루에 10번이 넘지 않으면 칭찬하며 방에서 혼자 박수를 치거나 나를 다독여주었다. 정신 나간 사람처럼 보일지 모르지만 효과는 꽤 크다. 세상을 가진 것처럼 뿌듯하고 이럴 수 있나 싶을 정도로 스스로가 듬직하게 느껴진다. 강력하게 추천한다.

감정은 순간이다. 순간의 감정을 잘 컨트롤하면 많은 것을 해낼 수 있다. 계획된 무언가를 하기 전에 기분 좋은 상태로 만들면 시작이 좋다. 좋아하는 커피를 마시거나, 즐기는 향수를 뿌리거나, 평소 자주 듣는 음악을 듣거나 재밌는 드라마를 한편 즐기거나 하면서 말이다. 그리고 계획한 일을 마치면 반드시 칭찬해 준다. 사실 칭찬해 주지 않아도 나 스스로가 알고 있다. 그래서 또 기분이 좋아진다.

나는 칭찬받으면 열심히 하는 사람이다. 그 칭찬을 밖에서 찾았다면 지금은 안에서 찾고 있다. 주변 사람의 칭찬이 아닌 나 스스로에게 전하는 칭찬. 내가 계획하고 스스로 실천한 일에 대한 달콤한 칭찬 말이다.

네 번째는 주변보다 나를 먼저 바라보기 시작했다.

주변의 칭찬이 중요할 때는 스스로를 채찍질하는데 집중했다. '쟤는 저렇게 하는데 나는 왜 못할까?'하는 생각이 올라올 때면 나를 더 몰아쳤다. 스스로에게 화를 내고 짜증을 내지만 결국엔 해내지 못한다. 해내지도 못했는데 나 자신과도 멀어지는 것이다.

코칭을 통해 나를 보기 시작하면서 내가 원하는 일을 꾸준히 해나가는 법을 배웠다. 예전의 내가 끝까지 해내지 못한 것에 속상해하고 양손에 모두 쥐어야 했다면 지금은 나와 맞지 않는 것은 미련 없이 돌아서고, 노력하면 쥐고 싶은 것은 쥘 수 있다는 것을 알았다.

100일간 매일의 글쓰기가 시작이었고, 말공부가 그 결과다. 매일 100일 동안 글쓰기에 성공했다. 매일 해야 한다는 압박감도 뭘 써야 하는지에 대한 불안감도 전과 같았지만 나를 옭아매거나 짜증 내지 않고 해냈다. 오히려 오늘 어떤 글을 쓸까 하는 생각에 신나기까지 했다.

말공부의 시작은 좌절이었다. 나도 목소리는 예쁘다 생각했는데 함께 공부하는 분들의 목소리는 그 이상이었다. 나는 호흡도 짧고 울림도 작다. 목소리도 크지 않다. 평소의 나였다면 중간에 포기했을 것이다. 제일 뒤에서 겨우 쫓아가는 상황이라 자존심도 상하고 수업 중 따라 읽는 시간도 너무 힘들었다. 2시간 동안 등에 땀은 비오듯 하고 긴장감에 가뜩이나 짧은 호흡은 더 짧아져 목소리가 떨렸다. 지금은 웃으며 이야기하지만 정말 염소 같았다. 그런데 내가 그 안에서 버텨내고 있었다. 매일 호흡 연습을 하고 수업을 복기했다.

무엇이 나를 변하게 만들었을까? 나는 다른 사람과의 비교가 아닌 나 스스로의 비교라고 결론 내렸다. 잘하는 다른 사람과의 비교가 아니라 지난 주의 나, 어제의 나와 비교하며 조금씩 나아갔기에 해냈다고 말이다. 시선을 내 안으로 옮겨오자 마음의 여유가 생겼다. 자존심이 아니라 자존감이 자리 잡았다. '내가 더 잘하거든'이 아니라 '나도 잘할 수 있어'로 바뀌었다.

삶은 나와의 시간이 늘어날수록 깊고 잔잔해지는 것 같다. 그렇게 사는 게 재미있어지는 것 같다.

'코칭'이 답이라 단정 짓기는 어렵지만 내 삶에서 '코칭'은 너무도 새로운 경험이었고 나를 바라볼 수 있는 시간이었다. 방법이 무엇이든 중요한 것은 있는 그대로의 나를 바라보는 것이다.

길은 잘 못 찾지만 친구들을 즐겁게 해줄 수 있는 사람, 리더로서 사람들을 이끌지는 못하지만 일원으로 마음을 다 할 수 있는 사람, 잘하는 일이 많지는 않지만 하고 싶은 일은 많은 사람, 요리는 못해도 맛있게 먹고, 즐겁고 신나는 일에 온몸을 다해 즐길 줄 아는 사람. 이것이 나라는 사람이다.

당신은 어떤 사람인가?

시작을 앞둔 사람에게

Punzel

이름만 들어도 아는 큰 회사에 다니지도 않고, 유명한 인플루언서도 아니다. 손에 꼽는 학교를 나온 것도 아니고 해외 유학을 다녀와 글로벌한 인맥을 갖춘 사람도 아니다. 그저 몇 해 먼저 살아본 사람. 같지는 않겠지만 당신이 겪은 일 혹은 겪게 될 일을 먼저 버텨낸 사람이다. 꼰대라는 생각이 들지도 모르고, 내가 겪는 현실과는 다르다 생각할 수도 있다. 그냥 숨이 차는 등산 중에 만난 하산하는 아줌마 정도로 생각해 주면 좋을 것 같다. 가방에서 시원하고 커다란 오이 하나쯤 건네받을 수 있는 행운 정도라고 말이다. 별것 아닌 것 같지만 산을 오르다 보면 시원한 오이 한 입이 절실하게 느껴질 때가 있지 않은가.(오이를 못 먹는 분들은 얼음 물이라 생각해 주시면…)

조금만 더 버티면 20주년을 맞이한다. 내 나이 스물이 엊그제 같은데 벌써 회사 생활만 곧 20년이라니 시간 참 빠르다. 빠르게 흐른 만큼 아쉬움도 크다. 그래서 더 말해주고 싶다. 거창하진 않지만 알아서 나쁠 것 없는, 등산길에 만난 오이 아줌마의 한마디 정도라도 말이다.

사회생활은 태도다

사회생활은 태도가 반이다. 내가 일한 만큼 급여를 받는 건데 태도가 무슨 상관이냐는 생각이 들 수도 있다. 나도 이런 생각이 불쑥불쑥 떠오를 때가 있으니 말이다. 하지만 꼭 생각해 보아야 한다. 나는 어떤 '태도'로 삶을 대하고, 나를 대하고, 나의 일을 대하는지.
가까이 두고 생각날 때마다 꺼내보는 책 중에 최인아 작가가 쓴 '내가 가진 것을 세상이 원하게 하라'는 책이 있다. 이 책에는 '태도가 경쟁력이다'라는 말이 나온다. 나는 이 말에 크게 동감한다.

'씨앗 없이 꽃이 피진 않지만 씨앗을 심었다고 다 꽃을 피우진 않는다. 씨앗이 죽지 않고 자라 꽃을 피우고 열매를 맺게 하려면 물을 주고, 바람과 햇볕을 쬐어주며, 때로는 비료도 주어야 한다. 그것이 바로 태도다.

즉, 태도는 우리 안의 재능이 도중에 꺾이거나 사라지지 않고 활짝 꽃 피게 한다.'

일단 웃자

웃는 얼굴에 침 못 뱉는다는 말은 진실이다. 나는 일단 웃는다. 모르는 곳을 방문해서도 처음 보는 거래처와도 일단 웃는다. 지금까지 확률을 고려해 보면 50%는 먹고 들어간다.

회사에서 일하다 보면 웃을 일이 별로 없다. 일에 치이고 시간에 치인다. 팀장님이나 부장님이 개그를 던지는 이유는 한번 웃어보자는 의미이지 그 이상은 없다. 나도 뭔가 웃긴 얘기나 웃긴 일이 없나 많이 고민했다. 디자인실은 각자 작업에 들어가면 조용해진다. 이런 분위기 속에서 추가로 업무를 지시해야 할 때는 뭔가 한 번 던져야 할 것 같은 느낌이 든다. 이때 웃어주면 참 고맙다. 정말로.

거래처 직원과 친해지면 이직 후에도 연락을 주는 경우가 많다. 방법은 잘 웃어주고 잘 들어주는 것이다. 전화 통화가 잦다 보니 시시콜콜한 이야기를 자주 주고받는데, 잘 웃어주고 잘 들어주는 것만큼 상대를 편하게 만드는 방법은 없는 것 같다.

웃음은 전염된다. 내가 웃으면 상대도 웃게 된다. 좋은 인상은 회사 생활에 큰 도움이 된다. 하루 종일 얼굴 맞대고 일해야 할 동료들에게 좋은 인상을 남기는 것만큼 큰일이 있을까. 일단 웃자.

호구가 되라는 말이 아니다. 인상 쓰며 얼굴에 싫은 티 팍팍 내지 말고 웃으라는 말이다. 웃으며 화내는 방법 같은 건 저절로 얻어지는 스킬이니 걱정 말고.

스스로 깨치는 습관

학교에서는 배움이 정해져 있다. 수학이 끝나고 영어, 과학, 음악 등 짜인 시간표로 움직인다. 대학에 들어가면 나 스스로 시간표를 만들지만 이 역시 만들어진 틀 안에서 움직인다. 하지만 사회는 다르다. 분야에 따라 다르겠지만 업무가 주어지고 이를 스스로 수행해야 한다.

절차가 정해져있고 사수나 상사가 함께하겠지만 나에게 주어진 업무에 대한 책임은 스스로가 져야 한다. 꼰대라 생각할 수 있지만 A를 지시했을 때 A를 마무리하고 A' 혹은 A+를 만들어내는 직원에게 눈길이 간다.

디자이너로 업무를 처음 시작할 때 빼놓지 않고 요청하는 부분이 샘플 정리다. '내가 디자이너로 들어와서 이런 것까지 해야 해?'라고 생각할 수도 있다. 하루빨리 디자인을 시작해서 뭔가 만들어내고 싶다는 열정이 넘쳐흐르는 것을 모르는 것도 아니다. 하지만 샘플을 정리하라는 의미는 지난 작업들을 훑어보며 어떤 스타일의 작업이 주로 진행되었는지 어떤 일들을 하게 될 것인지 파악해 보라는 의미이기도 하다.

어느 누가 샘플 정리를 요청하면서 회사의 주요 거래처와 거래처에 따라 어떤 스타일의 디자인을 좋아하는지 파악해 보라 이야기하겠는가. 이때 자주 눈에 띄는 거래처들을 미리 서치해 보고, 자주 등장하는 제품들의 사양을 찾아보면서 스스로 영역을 넓히는 직원이 있다면 당연 눈에 띨 것이다.

동료나 상사가 알려주는 방법 외에 스스로 방법을 찾는 것, 그리고 그 방법을 나만의 것으로 만드는 것이 업무를 효율적으로 할 수 있을뿐더러 내 역량을 키우는 방법이다.

인쇄소에서 감리를 보면서 다른 업체들의 디자인이나 원단을 궁금해하기도 하고, 후가공 업체를 방문에 작업 시 주의사항을 묻고 듣다 보면 어느새 내 그릇이 커진다. 내가 묻기 전에 인쇄소에서 이런 종이도 있다 알려주기도 하고 후가공 업체에서 새로운 가공이 나왔다고 소개해 주기도 한다.

돌아보니 내 그릇을 키우는 방법은 특별한 것이 아니다. 내가 맡고 있는 일에 대해 얼마나 많은 지식을 가지고 있는지, 그리고 그것을 어떻게 받아들이고 업무에 적용하는지이다. 무엇보다 스스로 깨치는 가장 좋은 방법은 해보는 것이다. 부딪혀보는 것이다. 부딪혀본 일은 내 것이 되어 쉬이 떠나지 않는다. 누군가에게 들은 것보다 오래 기억에 남을뿐더러 다른 사람에게 이야기할 때도 상세하고 구체적일 수 있다.

용기가 있을 때 많이 도전하고 실패하라는 말. 어릴 땐 우리를 이해하지 못하는 어른들의 이야기라 생각했던 이 말을 내가 하고 있을 줄이야. 하지만 꼭 전해야겠다. 열정이 있을 때, 무엇을 물어도 용서가 되고 실패를 해도 이해가 되는 시작하는 사람들에게 일단 부딪혀보라 말하고 싶다.

끝이 보이지 않는 산을 오르다 보면 숨도 차고 다리도 아프고 그만두고 싶을 때가 매 걸음마다 찾아오지만 산을 오르기로 마음먹은 순간을 기억하고, 오이 아줌마가 건네준 시원한 오이를 손에 쥐고, 부딪혀보자. 이렇게 깨우친 것들은 평생 함께할 것이니.

나다움을 잊지 말자

회사일에 빠져 살던 때가 있었다. 눈 뜨면 회사였고, 집에 도착해서는 잠들기 바빴던 시간이 얼마였는지, 아마 몇 년은 이렇게 보냈던 듯하다. 시계 추처럼 집과 회사를 오가며 낮이든 새벽이든 울리는 전화와 문자 속에서 살았다. 이때 건강과 함께 나도 잃었다.

사회생활을 시작한다면 '나다움'을 잊지 말라 말해주고 싶다. 특별한 것이 아니다. 내가 있다는 것을 잊지 말라는 것이다. 회사 일도 중요하고 거래처의 일정에 맞춰 업무를 진행하는 것도 중요하지만 나 역시 중요하다.

거래처의 일정에 맞춰주려 주말에도 업무를 하고, 밤 10시가 넘어서 퇴근을 하고, 퇴근을 하다가 사무실로 돌아간 적도 있었다. 고맙다는 이야기를 들었지만 나 자신에게는 너무 미안한 일이 되었다. 지금도 종종 야근이 있지만 주말과 저녁엔 쉼이 있다. 친구들과 함께하는 시간, 가족과 함께하는 시간 그리고 나와의 시간이 있어야 한다.

6시 칼같이 퇴근을 하고 저녁시간에는 회사의 업무를 차단해버리라는 이야기가 아니다. 적어도 나 자신을 바라봐 줄 시간을 갖자는 것이다. 회사에 모든 정신을 쏟았던 그 시간이 나에겐 양날의 검이었다. 많은 사람을 만나고 배웠지만 '나'는 없었다. 내가 얼마나 지쳤고 얼마나 아프고 얼마나 쉬고 싶은지 외면했다. 모두가 다 힘들겠다고 말했지만 오히려 나 자신은 외면한 것이다. 조금 더 영리하게 행동했다면 어땠을까? 거래처와 마감시간을 조율하고, 주말엔 숨을 고르며 나를 바라봐 줬다면 링거를 맞으며 표정 없이 하루를 사는 일은 없었을 것이다.

사회생활을 하는 이유도 이 일을 선택한 이유도 나를 위해서라는 사실을 잊지 말자. 나다움을 잊지 말자.

사회생활에 두려움을 가질 필요는 없다. 설레기도 하고 걱정되기도 하겠지만 삶의 한 선택일 뿐이다. 얼마 전 친척 동생과 남동생의 대화를 들었다. 일하는 것이 힘들다 푸념하는 친척 동생에게 남동생이 이렇게 답했다.

'네가 한 선택은 끝까지 물고 늘어져 버티는 거야. 남이 시킨 일이 아닌 네가 선택한 일이라면.' 꼬물이들이 어른이 다 되었구나 싶었다.

결론적으로는 회사에 선택을 받았지만 지원은 내가 한 것이다. 이 일을 내가 하기로 선택한 이상 물고 늘어져야 한다. 버텨내야 내 것이 될 수 있다. 이런 태도로 스스로 깨치며 나다움을 잊지 않는 사회인으로 성장하기를 기도해본다.

모든 시작을 앞둔 사람들을 위해

Epilogue   열심히 살았다

글을 쓰는 시간은 내 삶을 돌이켜보는 시간이었다. 내가 버텨낸 시간이 얼마나 값진 것인지 내가 얼마나 강한 사람인지 글을 쓰지 않았다면, 내 삶을 돌아보는 시간을 갖지 못했다면 알 수 없었을 것이다.

나는 내 경력을 대단하다 생각하지 않았다. 남들 다 하는 밥벌이라 믿었고, 살아가기 위해 어쩔 수 없이 하는 것이라 생각했다. 십 년 넘게 일했으면 다들 나 정도의 실력은 갖추고 있을 것 같아 지금 하는 일보다 다른 곳에 눈길을 주었다. 그렇게 다른 분야의 디자인을 공부하고 관련 없는 분야를 기웃거렸다.

두려움이었다. 연차는 해가 바뀔 때마다 늘어나는데 내 실력은 따라주지 못하는 느낌이 들 때면 두려워졌다. 그 두려움을 마주하기 겁나 다른 곳을 기웃거리며 내가 쌓아온 것들을 부정했다. 하지만 내가 몸담았던 그 시간들은 내 안에 오롯이 쌓여있다. 그것이 상처가 되기도 하고 기쁨이 되기도 하면서 나를 성장시키고 있었다. 거래처의 질문에 과장님과 실장님을 찾아대던 코딱지는 이제 없다. 시간의 힘과 만난 노력은 커다란 시너지를 만들어냈다.

팀장이라는 자리에 오르며 리더가 되었다. 회사의 모든 거래처를 꿰뚫고 있고 내 손을 거치지 않는 디자인은 없다. 내 이름은 곧 회사를 대표하게 되었고 여기저기서 함께 일하자는 제의도 받았다. 아무것도 아닌 시간이었다면 이런 일이 일어날 수 있었을까? 밑바닥부터 차곡차곡 쌓아 올린 시간이 있었기에 지금의 자리에 있을 수 있던 것이다.

열심히 살았다. 치사하고 더러운 일도, 힘들고 슬픈 일도 버텨내며 참 열심히 살았다.

"열심히 살았다. 내가 너무 자랑스러워"

이 말을 꼭 해주고 싶다. 나에게 이 말을 들려주기까지 오랜 시간이 걸렸다. 나 자신을 믿는 일부터 내 일에 대한 자부심을 가슴에 새기기까지 20년 가까운 시간이 흐른 것이다.

혹시, 내 존재가 아무것도 아닌 것처럼 느껴지고 내가 하고 있는 일이 하찮게 생각된다면 글을 써보길 추천한다. 난 글을 쓰는 지금의 내가 마음에 든다. 나 자신과 나눈 대화의 시작도 글이었다.

당신은 오늘 하루도 아니 어제도 아니 지난 주도 버텨냈다. 내일도 버텨낼 것이고 버텨낸 시간은 당신의 노력과 버무려져 당신 안에 차곡차곡 쌓일 것이다. 이런 당신 스스로를 자랑스럽게 여기자. 다른 누군가가 아닌 나 자신을 위해서.
세상 누구도 나를 사랑하지 않는다 해도 나만은 나를 사랑해야 한다. 영원한 것은 없다. 삶은 유한하고, 죽음은 누구에게나 공평하다. 두 번은 없는 한 번뿐인 삶에 나마저 나를 사랑해 주지 못한다면 이것만큼 슬픈일이 있을까?

모두가 지금의 나를 사랑하고, 과거의 나에게 감사하며, 미래의 나를 꿈꾸며 웃을 수 있게 되길 바란다. 그리고 나의 글이 작게나마 도움이 되길 바라본다.

당신, 참 열심히 살았다

인쇄로 먹고삽니다

발　행 | 2024년 04월 26일
저　자 | 이소현
펴낸이 | 한건희
펴낸곳 | 주식회사 부크크
출판등록 | 2014.07.15.(제2014-16호)
주　소 | 서울시 금천구 가산디지털1로 119, SK트윈타워 A동 305호
전　화 | 1670 - 8316
이메일 | info@bookk.co.kr

ISBN | 979-11-410-8103-4

www.bookk.co.kr
ⓒ **이소현 2024**